Michael Schober

Mi amor tiene orejitas bailonas y rosadas

Un libro desplegable

Mi amor tiene orejitas bailonas y rosadas,
las cerdas de su lomo, cortitas y aseadas,
la barriguita rosa y rizado el rabito.

¿Sabes, quiquiricosa, el nombre del bichito?
Pues claro, es un...

cerdito

Mi amor es amarillo con manchas marrones
y habita en la selva como los leones.
Como tiene el cuello flaco y las patas muuuy largas,
¡nunca puede esconderse en los rincones!

Si no es un cocodrilo ni una mona maja,
adivina qué es. Pues es una...

jiraf

a

Mi amor mueve la cola cuando está contento
y se divierte mucho si baila conmigo.
Tiene el cuerpo lanudo y orejitas graciosas;
con él no estoy perdido, es mi mejor amigo.

Revuelto tiene el pelo
el muy gamberro.
¡Claro, claro! Es un...

perro

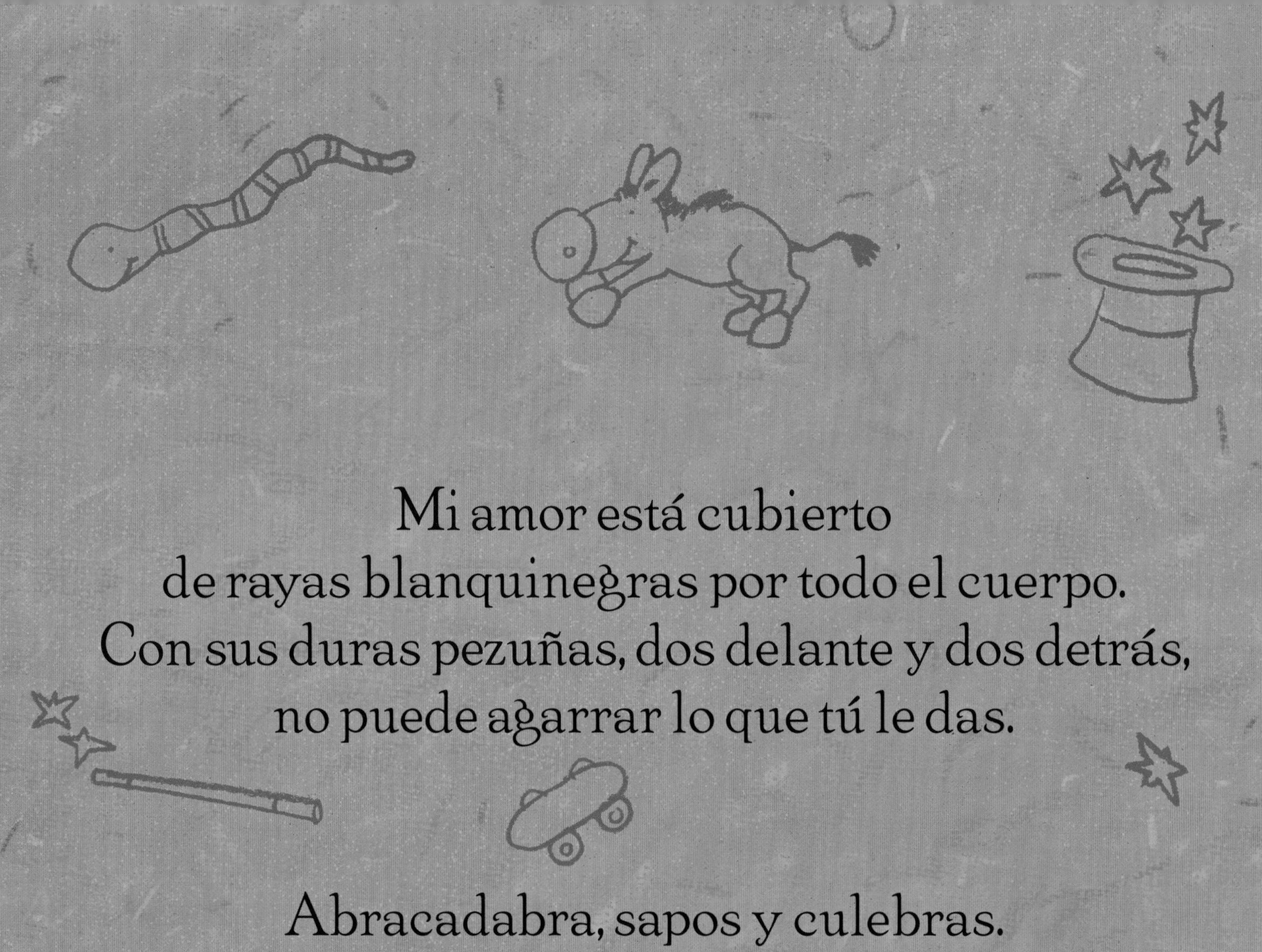

Mi amor está cubierto
de rayas blanquinegras por todo el cuerpo.
Con sus duras pezuñas, dos delante y dos detrás,
no puede agarrar lo que tú le das.

Abracadabra, sapos y culebras.
Sin varita ni magia,
aquí está la...

cebra

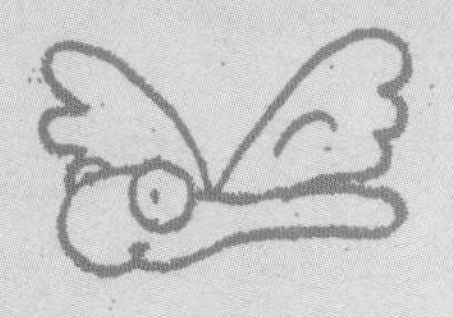

Mi amor tiene el pelito mullido y delicado,
corre y salta animoso
y, cuando está a mi lado,
maúlla a su manera y ronronea mimoso.

Me araña muy suavecito durante un largo rato,
y es que, claro, es un...

gato

Mi amor es blanco y de marrón pintado,
mordisquea los setos y pace por el prado.
Sus ubres te dan leche si la ordeñas
y con sus grandes ojos te hace señas.

Si no es una leona ni una jirafa,
dilo bien alto, es la...

vaca

Mi amor verdoso da unos saltos portentosos,
atrapa bichos que son apetitosos.
Tanto es terrestre como acuática
y conmigo es muy simpática.

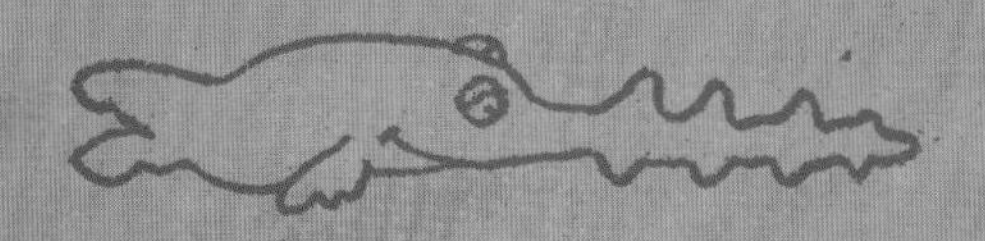

No ladra como un perro
ni su cuerpo es de lana.
Mi amor croa en las charcas y es una...

rana

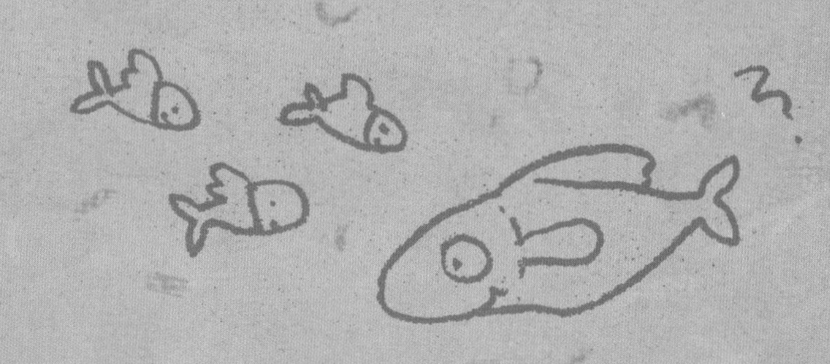

Mi amor es blanco y va bien abrigado,
vive entre el hielo y le gusta el pescado.
Su hocico es una mancha renegrida,
tiene orejas redondas y atrevidas.

Si no lo adivinaste, lo vas a adivinar.
Ya sabes lo que es.
Es un...

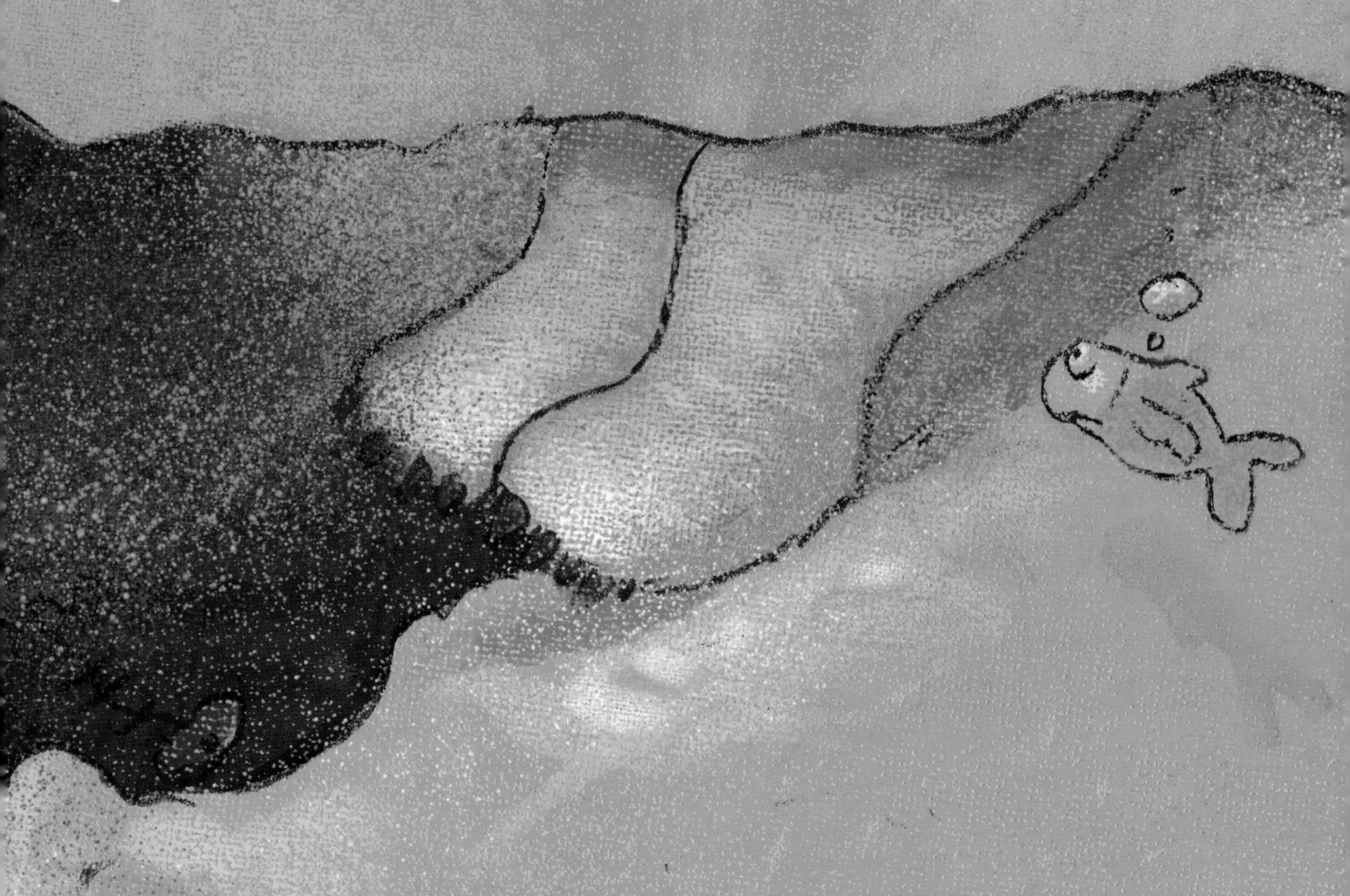

oso polar

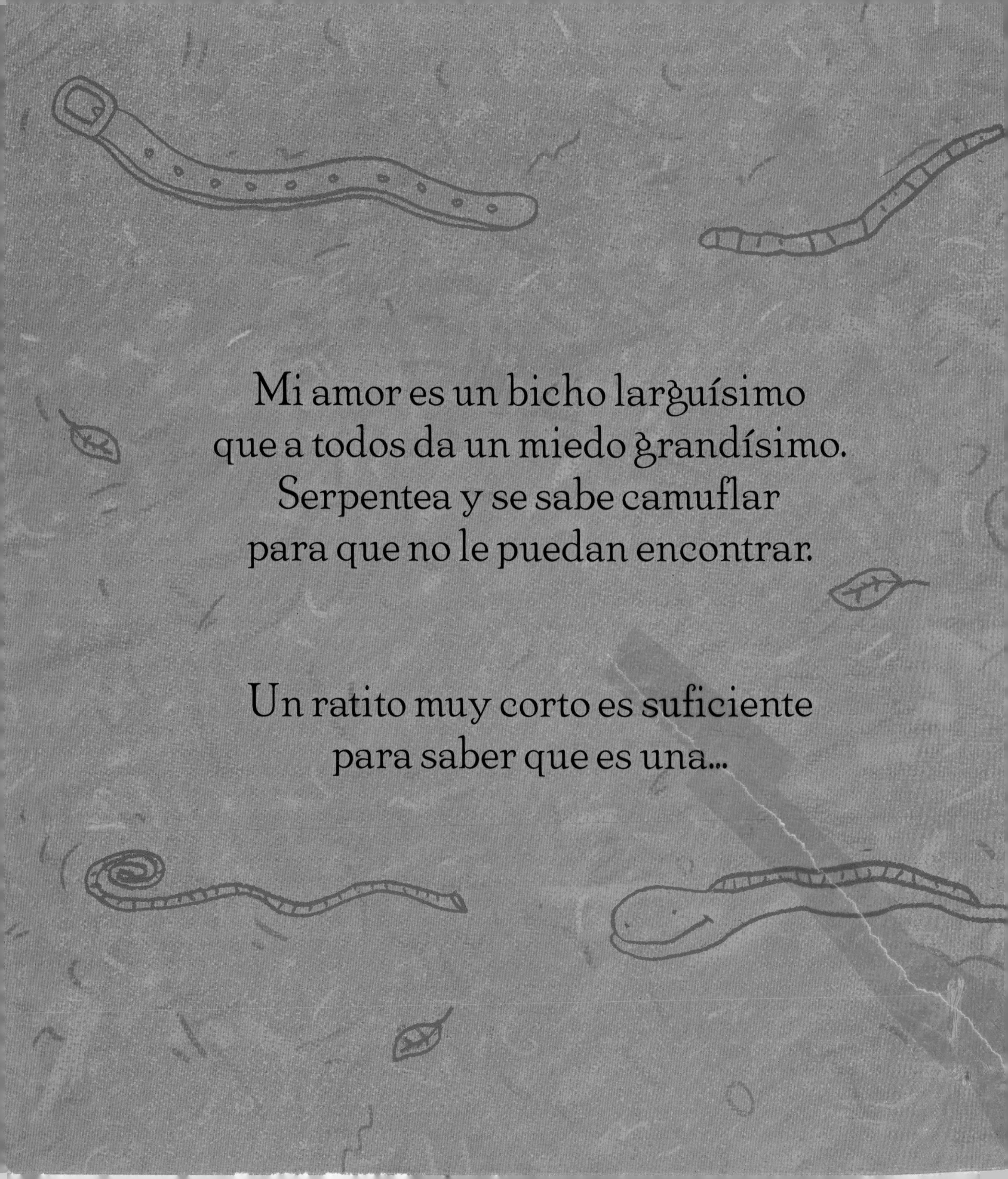

Mi amor es un bicho larguísimo
que a todos da un miedo grandísimo.
Serpentea y se sabe camuflar
para que no le puedan encontrar.

Un ratito muy corto es suficiente
para saber que es una...

serpiente

Mi amor no tiene las orejitas bailonas,
pero a mí me parecen muy molonas.
No es un perro ni un ñandú.
Mi amor más grande eres...

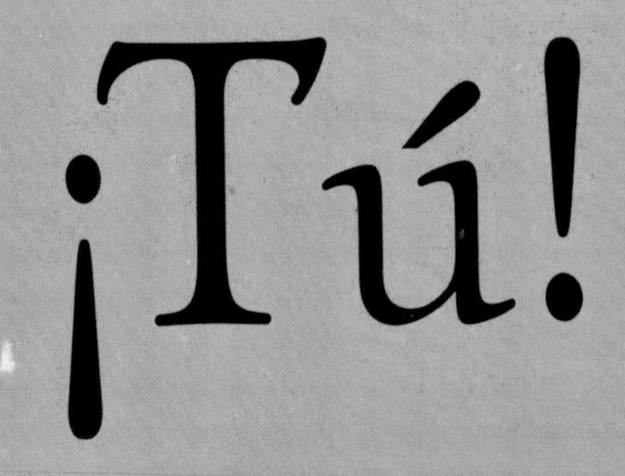

¡Tú!